978-7-552-2986-6
U0936080

马上行动指南

本手册分为 12 个月，
可自填日期，即刻开启，灵活规划。

记得每月初写下你的目标和动机，
并在月末进行月度复盘和总结。

希望你回顾这一年的目标时，
收获满满，硕果累累。
我们一起完成最好的一年！

规划最好的一年，

成为更好的自己。

最好的一年，

从现在开始！

☐ 成就型目标　　☐ 习惯型目标

目标描述 GOAL DESCRIPTIONS

主要动机 KEY MOTIVATIONS

后续步骤 NEXT STEPS

MONTH 1 2 3 4 5 6 7 8 9 10 11 12
MON
TUE
WED
THU
FRI
SAT
SUN

NTH 1 2 3 4 5 6 7 8 9 10 11 12
ON
UE
ED
HU
FRI
SAT
SUN

MONTH	1	2	3	4	5	6	7	8	9	10	11	12

MON

TUE

WED

THU

FRI

SAT

SUN

MONTH	1	2	3	4	5	6	7	8	9	10	11	12
MON												
TUE												
WED												
THU												
FRI												
SAT												
SUN												

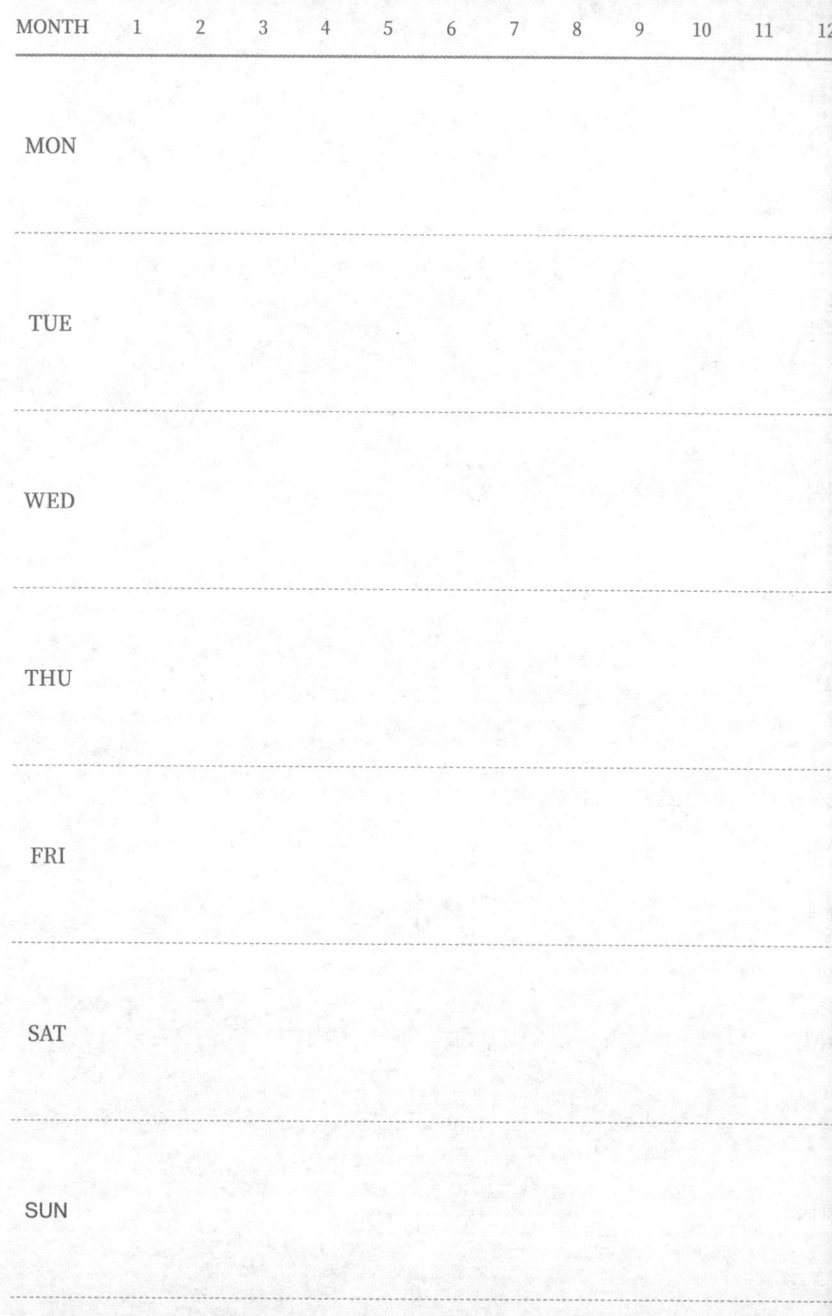
MONTH 1 2 3 4 5 6 7 8 9 10 11 12
MON
TUE
WED
THU
FRI
SAT
SUN

度总结

目标达成

□

□

□

□

□

本月反思

目标的意义

不仅在于让你做成什么事，

更在于让你成为什么人。

☐ 成就型目标　☐ 习惯型目标

目标描述 GOAL DESCRIPTIONS

主要动机 KEY MOTIVATIONS

后续步骤 NEXT STEPS

MONTH 1 2 3 4 5 6 7 8 9 10 11 12
MON
TUE
WED
THU
FRI
SAT
SUN

MONTH	1	2	3	4	5	6	7	8	9	10	11	12
MON												
TUE												
WED												
THU												
FRI												
SAT												
SUN												

MONTH 1 2 3 4 5 6 7 8 9 10 11 12
MON
TUE
WED
THU
FRI
SAT
SUN

ONTH	1	2	3	4	5	6	7	8	9	10	11	12
MON												
TUE												
WED												
THU												
FRI												
SAT												
SUN												

MONTH	1	2	3	4	5	6	7	8	9	10	11	12
MON												
TUE												
WED												
THU												
FRI												
SAT												
SUN												

度总结

目标达成

□

□

□

□

□

本月反思

计划是地图，

行动才是抵达目的地的路。

☐ 成就型目标　　☐ 习惯型目标

目标描述 GOAL DESCRIPTIONS

主要动机 KEY MOTIVATIONS

后续步骤 NEXT STEPS

MONTH 1 2 3 4 5 6 7 8 9 10 11 12
MON
TUE
WED
THU
FRI
SAT
SUN

ONTH	1	2	3	4	5	6	7	8	9	10	11	12
MON												
TUE												
WED												
THU												
FRI												
SAT												
SUN												

MONTH	1	2	3	4	5	6	7	8	9	10	11	12
MON												
TUE												
WED												
THU												
FRI												
SAT												
SUN												

ONTH	1	2	3	4	5	6	7	8	9	10	11	12
MON												
TUE												
WED												
THU												
FRI												
SAT												
SUN												

MONTH	1	2	3	4	5	6	7	8	9	10	11	12
MON												
TUE												
WED												
THU												
FRI												
SAT												
SUN												

月度总结

目标达成

□

□

□

□

□

本月反思

只要做，就比

安于现状地待着要好得多。

☐ 成就型目标　　☐ 习惯型目标

目标描述 GOAL DESCRIPTIONS

主要动机 KEY MOTIVATIONS

后续步骤 NEXT STEPS

MONTH 1 2 3 4 5 6 7 8 9 10 11 12
MON
TUE
WED
THU
FRI
SAT
SUN

)NTH	1	2	3	4	5	6	7	8	9	10	11	12
ION												
'UE												
/ED												
HU												
'RI												
AT												
UN												

MONTH 1 2 3 4 5 6 7 8 9 10 11 12

MON

TUE

WED

THU

FRI

SAT

SUN

ONTH	1	2	3	4	5	6	7	8	9	10	11	12
ION												
TUE												
VED												
HU												
FRI												
AT												
UN												

MONTH	1	2	3	4	5	6	7	8	9	10	11	12
MON												
TUE												
WED												
THU												
FRI												
SAT												
SUN												

度总结

目标达成

□

□

□

□

□

本月反思

行动是改变的开始，

坚持是成功的秘诀。

☐ 成就型目标　　☐ 习惯型目标

目标描述 GOAL DESCRIPTIONS

主要动机 KEY MOTIVATIONS

后续步骤 NEXT STEPS

MONTH 1 2 3 4 5 6 7 8 9 10 11 12
MON
TUE
WED
THU
FRI
SAT
SUN

ONTH	1	2	3	4	5	6	7	8	9	10	11	12
MON												
TUE												
WED												
HU												
FRI												
SAT												
UN												

MONTH	1	2	3	4	5	6	7	8	9	10	11	12
MON												
TUE												
WED												
THU												
FRI												
SAT												
SUN												

ONTH	1	2	3	4	5	6	7	8	9	10	11	12
ION												
TUE												
VED												
THU												
FRI												
SAT												
SUN												

MONTH	1	2	3	4	5	6	7	8	9	10	11	12
MON												
TUE												
WED												
THU												
FRI												
SAT												
SUN												

度总结

目标达成

□

□

□

□

□

本月反思

无须过多考虑结果，

只须专心做好下一步。

☐ 成就型目标　　☐ 习惯型目标

目标描述 GOAL DESCRIPTIONS

主要动机 KEY MOTIVATIONS

后续步骤 NEXT STEPS

MONTH	1	2	3	4	5	6	7	8	9	10	11	12
MON												
TUE												
WED												
THU												
FRI												
SAT												
SUN												

ONTH 1 2 3 4 5 6 7 8 9 10 11 12
MON
TUE
WED
THU
FRI
SAT
SUN

MONTH	1	2	3	4	5	6	7	8	9	10	11	12
MON												
TUE												
WED												
THU												
FRI												
SAT												
SUN												

ONTH 1 2 3 4 5 6 7 8 9 10 11 12
ION
TUE
VED
THU
FRI
SAT
SUN

MONTH 1 2 3 4 5 6 7 8 9 10 11 12
MON
TUE
WED
THU
FRI
SAT
SUN

度总结

目标达成

□

□

□

□

□

本月反思

你拥有的支配权和控制力，

远比你想象的要多。

☐ 成就型目标　　☐ 习惯型目标

目标描述 GOAL DESCRIPTIONS

主要动机 KEY MOTIVATIONS

后续步骤 NEXT STEPS

MONTH	1	2	3	4	5	6	7	8	9	10	11	12
MON												
TUE												
WED												
THU												
FRI												
SAT												
SUN												

ONTH 1 2 3 4 5 6 7 8 9 10 11 12

ION

TUE

VED

THU

FRI

SAT

SUN

MONTH	1	2	3	4	5	6	7	8	9	10	11	12
MON												
TUE												
WED												
THU												
FRI												
SAT												
SUN												

ONTH 1 2 3 4 5 6 7 8 9 10 11 12
MON
TUE
WED
THU
FRI
SAT
SUN

MONTH	1	2	3	4	5	6	7	8	9	10	11	12
MON												
TUE												
WED												
THU												
FRI												
SAT												
SUN												

月度总结

目标达成

□

□

□

□

□

本月反思

从舒适区到不适区的道路，

就是你真正获得成长的道路。

□ 成就型目标　　□ 习惯型目标

目标描述 GOAL DESCRIPTIONS

主要动机 KEY MOTIVATIONS

后续步骤 NEXT STEPS

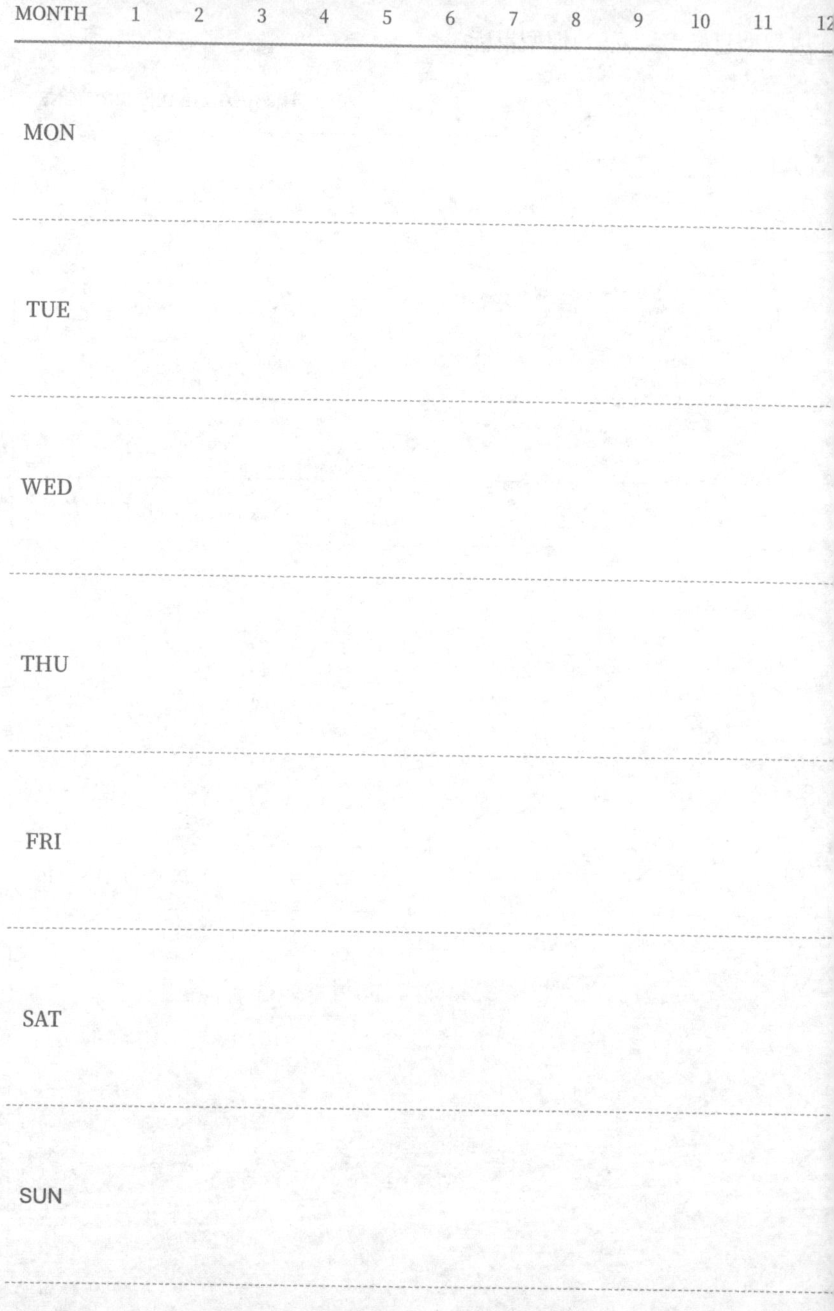

MONTH	1	2	3	4	5	6	7	8	9	10	11	12
MON												
TUE												
WED												
THU												
FRI												
SAT												
SUN												

ONTH	1	2	3	4	5	6	7	8	9	10	11	12
ION												
'UE												
VED												
'HU												
FRI												
SAT												
SUN												

MONTH	1	2	3	4	5	6	7	8	9	10	11	12

MON

TUE

WED

THU

FRI

SAT

SUN

ONTH 1 2 3 4 5 6 7 8 9 10 11 12
ON
UE
ED
HU
RI
AT
UN

MONTH	1	2	3	4	5	6	7	8	9	10	11	12
MON												
TUE												
WED												
THU												
FRI												
SAT												
SUN												

度总结

目标达成

☐

☐

☐

☐

☐

本月反思

路再长，

一步一步也能走完；

山再高，

一阶一阶也能登顶。

☐ 成就型目标　　☐ 习惯型目标

目标描述 GOAL DESCRIPTIONS

主要动机 KEY MOTIVATIONS

后续步骤 NEXT STEPS

MONTH	1	2	3	4	5	6	7	8	9	10	11	1

MON

TUE

WED

THU

FRI

SAT

SUN

ONTH	1	2	3	4	5	6	7	8	9	10	11	12
ION												
TUE												
VED												
THU												
FRI												
SAT												
SUN												

MONTH	1	2	3	4	5	6	7	8	9	10	11	12
MON												
TUE												
WED												
THU												
FRI												
SAT												
SUN												

ONTH	1	2	3	4	5	6	7	8	9	10	11	12
ION												
UE												
VED												
HU												
FRI												
AT												
UN												

MONTH	1	2	3	4	5	6	7	8	9	10	11	12
MON												
TUE												
WED												
THU												
FRI												
SAT												
SUN												

度总结

目标达成

□

□

□

□

□

本月反思

坚持是时间的礼物，

它会回报你意想不到的惊喜。

☐ 成就型目标　☐ 习惯型目标

目标描述 GOAL DESCRIPTIONS

主要动机 KEY MOTIVATIONS

后续步骤 NEXT STEPS

MONTH 1 2 3 4 5 6 7 8 9 10 11 12
MON
TUE
WED
THU
FRI
SAT
SUN

)NTH	1	2	3	4	5	6	7	8	9	10	11	12
ION												
'UE												
/ED												
HU												
FRI												
;AT												
;UN												

MONTH	1	2	3	4	5	6	7	8	9	10	11	12
MON												
TUE												
WED												
THU												
FRI												
SAT												
SUN												

ONTH	1	2	3	4	5	6	7	8	9	10	11	12
ION												
UE												
ED												
HU												
RI												
AT												
UN												

MONTH	1	2	3	4	5	6	7	8	9	10	11	12
MON												
TUE												
WED												
THU												
FRI												
SAT												
SUN												

度总结

目标达成

□

□

□

□

□

本月反思

如果现在放弃，

你就输了。

☐ 成就型目标　☐ 习惯型目标

目标描述 GOAL DESCRIPTIONS

主要动机 KEY MOTIVATIONS

后续步骤 NEXT STEPS

MONTH 1 2 3 4 5 6 7 8 9 10 11 12
MON
TUE
WED
THU
FRI
SAT
SUN

ONTH	1	2	3	4	5	6	7	8	9	10	11	12
MON												
TUE												
WED												
THU												
FRI												
SAT												
SUN												

MONTH	1	2	3	4	5	6	7	8	9	10	11	12
MON												
TUE												
WED												
THU												
FRI												
SAT												
SUN												

ONTH	1	2	3	4	5	6	7	8	9	10	11	12
MON												
TUE												
WED												
THU												
FRI												
SAT												
SUN												

MONTH	1	2	3	4	5	6	7	8	9	10	11	12

MON

TUE

WED

THU

FRI

SAT

SUN

月度总结

目标达成

□
□
□
□
□

本月反思

庆祝胜利

是对努力的认可。

□ 成就型目标　　□ 习惯型目标

目标描述 GOAL DESCRIPTIONS

主要动机 KEY MOTIVATIONS

后续步骤 NEXT STEPS

MONTH	1	2	3	4	5	6	7	8	9	10	11	12
MON												
TUE												
WED												
THU												
FRI												
SAT												
SUN												

ONTH	1	2	3	4	5	6	7	8	9	10	11	12
MON												
TUE												
WED												
THU												
FRI												
SAT												
SUN												

MONTH	1	2	3	4	5	6	7	8	9	10	11	12
MON												
TUE												
WED												
THU												
FRI												
SAT												
SUN												

ONTH	1	2	3	4	5	6	7	8	9	10	11	12

MON

TUE

WED

THU

FRI

SAT

SUN

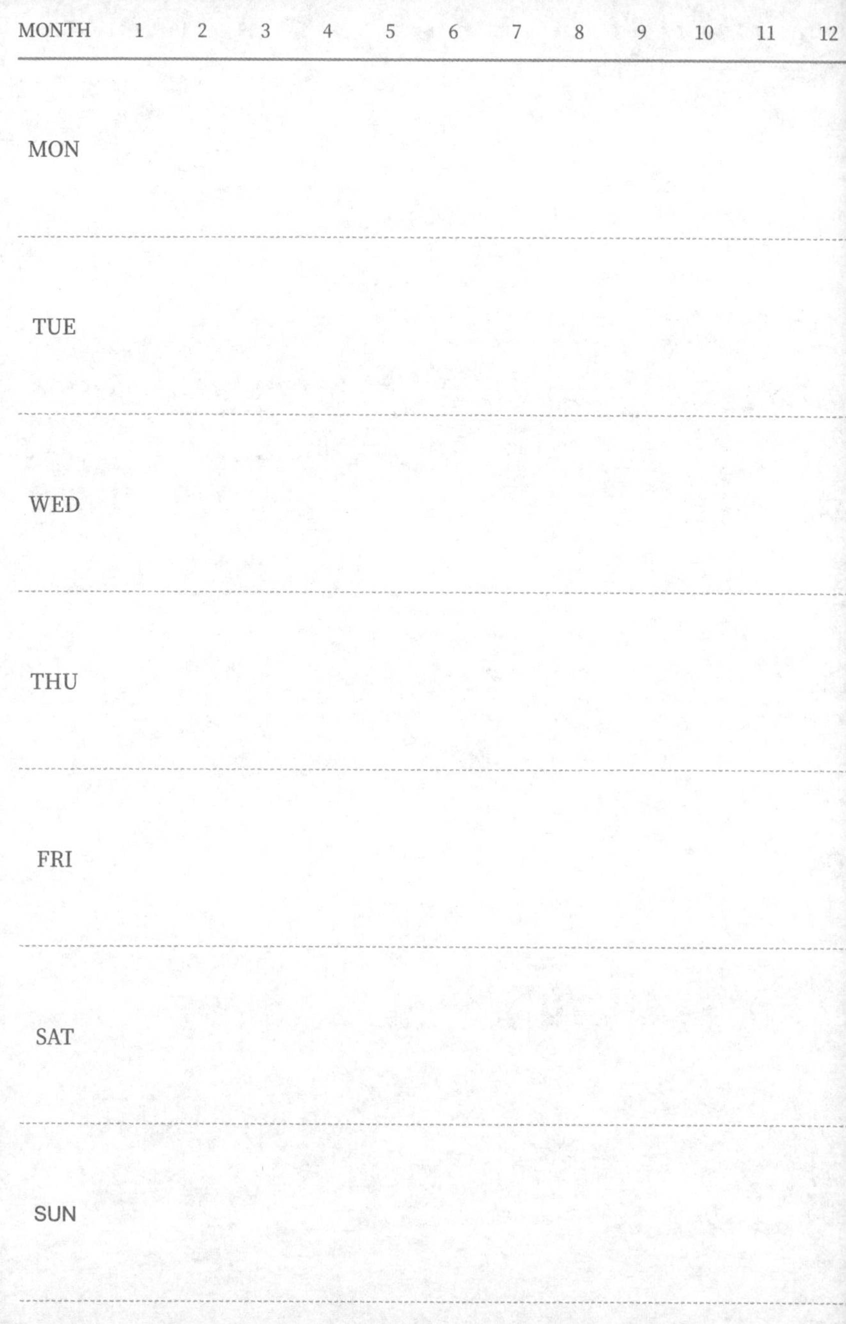

MONTH	1	2	3	4	5	6	7	8	9	10	11	12
MON												
TUE												
WED												
THU												
FRI												
SAT												
SUN												

度总结

目标达成

□

□

□

□

□

本月反思

全年目标足迹

____年

度总结 SUMMARY

目标达成心得